그림에 자신 없는 부모님을 위한

그림에 자신 없는 부모님을 위한

엄마, 그림 그려주세요!

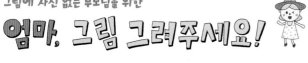

초판 인쇄일 2018년 12월 7일
초판 발행일 2018년 12월 21일

지은이 김형진
발행처 앤제이BOOKS
등록번호 제 25100-2017-000025호
주소 (03334) 서울시 은평구 연서로21길 24 2층
전화 02) 353-3933   **팩스** 02) 353-3934
이메일 andjbooks@gmail.com

ISBN 979-11-960603-6-7
정가 13,800원

이 도서의 국립중앙도서관 출판예정도서목록(CIP)은 서지정보유통지원시스템 홈페이지(http://seoji.nl.go.kr)와
국가자료공동목록시스템(http://www.nl.go.kr/kolisnet)에서 이용하실 수 있습니다.(CIP제어번호: CIP2018031972)

그림에 자신 없는 부모님을 위한

엄마, 그림 그려주세요!

글·그림 **김형진**

앤제이
BOOKS

아이가 "엄마, 그림 그려주세요!"하면 당황하셨죠?
네모, 세모, 동그라미만으로 예쁜 그림이 척척!
이제 아이와 함께 즐거운 그림 놀이를 시작하세요.

아이들은 놀면서 배우고 자신의 생각을 표현하며 성장합니다. 바르게 성장하는데 필요한 여러 가지 놀이가 있지만 그 중 그림 놀이는 아이들의 창의력, 상상력, 표현력, 집중력, 관찰력 향상에 큰 도움이 되기 때문에 매우 좋은 놀이입니다. 『엄마, 그림 그려주세요!』는 아이들과 그림 놀이를 하고 싶지만 그림에 자신이 없는 분들을 위한 책입니다.

이 책은 아이들이 가장 먼저 그리게 되는 '사람 그리기'로 시작해서 아이들이 가장 좋아하는 '동물 그리기', 남자 아이들이 특히 좋아하는 '탈것 그리기', 장래 희망을 그려보는 '여러 가지 직업 그리기', 상상력을 키워줄 '상상 속 친구들 그리기', 자연을 배우는 '식물 그리기', 맛있는 '음식 그리기'와 다양한 '소품 그리기'까지 약 70가지 주제로 분류하여 수록했습니다.

이 책의 모든 그림은 누구나 쉽게 따라 그릴 수 있도록 새로운 부분을 색깔로 보여주며 설명하고, 그림에 자신 없는 분이라도 네모, 세모, 동그라미만 그리면 재미있는 그림이 완성될 수 있도록 구성했습니다.
또한, [그리기 워크북]을 별책부록으로 수록하여 따로 종이를 준비할 필요가 없고, [그리기 워크북]에 아주 흐리게 표시해둔 밑그림 위에 완성도 있는 나만의 작품을 완성할 수 있도록 했습니다.

자, 지금부터 아이들과 재미있는 그림 놀이를 하며 사물을 관찰하는 힘, 표현하는 능력, 창의적인 생각을 듬뿍 길러주세요!

저자 **김형진**

목차

Part 1. 사람 그리기

Part 2. 동물 그리기

★ 책 속의 책으로 **그리기 워크북**이 들어있어요!

그림 그리기 준비물

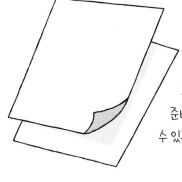

그림을 그리려면 종이를
준비해야겠죠? 흔히 구할
수 있는 A4용지도 좋아요.

자신이 그린 그림을 한데
묶어 보관하기 편리한
스케치북도 좋아요.

연필로 흐리게 밑그림을
그리면 완성도가 높아져요.

그림을 완성하면 연필로 그린
밑그림을 지우개로 싹싹 지워주세요.

사인펜은 선명한 외곽선을
그리는데 사용하기 좋아요.

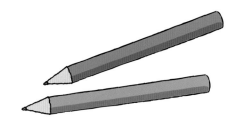

풍부하고 다양한 색감을 표현할 때는
색연필을 사용하세요.

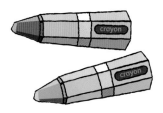

큰 그림을 그릴 때는 크레파스를 사용하세요.
색칠하고 손으로 문지르면
색다른 느낌이 난답니다.

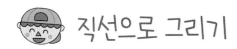 # 직선으로 그리기

STEP 1. 직선으로 가로선을 쭉쭉 그려보세요. 가는선, 굵은선, 긴 점선, 짧은 점선을 마음대로 그려보세요.

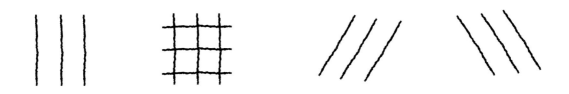

STEP 2. 직선으로 세로선, 격자선, 사선을 반복해서 그려보세요.

STEP 3. 직선만 이용해서 다양한 그림을 그려보세요.

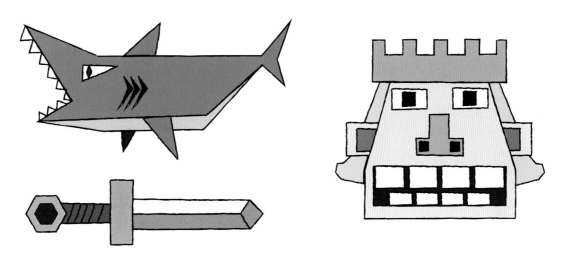

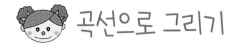 곡선으로 그리기

STEP 1. 동글동글 구불구불 다양한 곡선을 그려보세요. 빙그르르르 어지러운 동그라미도 그려보세요.

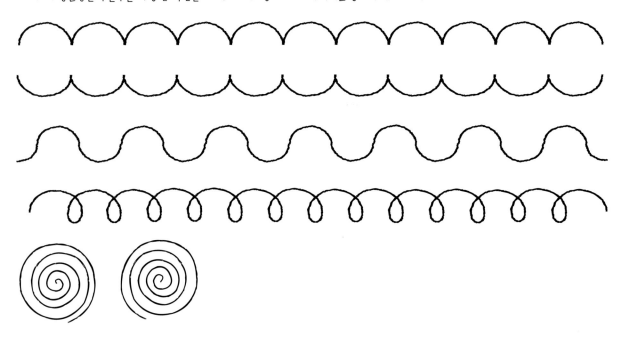

STEP 2. 곡선만 이용해서 다양한 그림을 그려보세요.

동그라미로 그리기

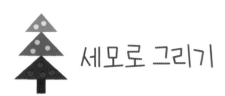

세모로 그리기

네모로 그리기

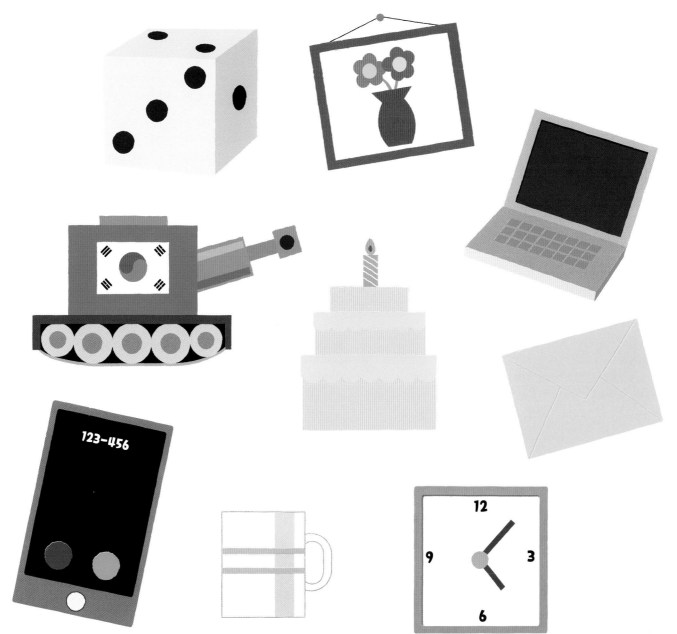

Part 1. 사람 그리기

① 표정 그리기

신나요

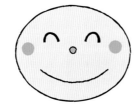

미소지어요

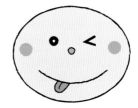

윙크해요

실망했어요

삐쳤어요

화나요

놀라워요

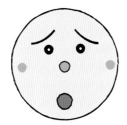

슬퍼요

눈물나요

피곤해요

졸려요

아파요

❷ 머리 모양 그리기

단발머리

양갈래 머리

삐삐머리

똥머리

묶은머리

스포츠머리

단정한 머리

아빠 머리

할아버지 머리

삐침머리

파마머리

긴 웨이브 머리

❸ 동작 그리기

연필로 점프하는 밑그림

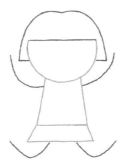

그 위에 얼굴과
몸통을 그려요.

팔과 다리를 쭉쭉~

색칠해서 완성!

연필로 스트레칭하는 동작

머리와 몸통

팔과 다리

색칠해서 완성!

연필로 달리는 동작

모자와 머리, 몸통을 그려요.

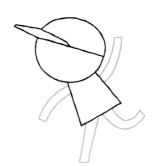

팔과 다리

잠자리채를 더하고
색칠해서 완성!

④ 옆모습 그리기

동그라미로 머리

뒤로 묶은 머리와
리본을 그려요.

눈, 코, 입

몸통과 치마를 그리고

팔과 다리

옷에 무늬를 넣고
색칠하면 완성!

동그라미로 머리

잘 빗어넘긴 머리

눈, 코, 입

몸통을 그리고

악수를 하는 팔과 단추

다리와 서류가방을 그리고

색칠하면 완성!

⑤ 남자아이 그리기

둥그런 얼굴과
양쪽에 반원으로 귀

얼굴 위에 머리를 그려요.

동그라미와 세모로
눈, 코, 입

사다리꼴로 몸통

반바지와 다리를 그리고

공을 들고 있는 팔을 그려요.

예쁘게 색칠하면
축구를 좋아하는 남자아이 완성!

점프하는 남자아이

책읽기를 좋아하는 남자아이

⑥ 여자아이 그리기

둥그런 얼굴과
양쪽에 반원으로 귀

얼굴 위에 머리와 뒷머리

윙크하는 눈과
코, 입을 그려요.

예쁜 모자를 그리고

사다리꼴 모양의 원피스

양쪽으로 팔을 그리고

다리를 쭉쭉~

예쁘게 색칠하면
귀여운 여자아이 완성!

똥머리를 한 여자아이

바구니를 든 여자아이

❼ 엄마 그리기

둥그런 얼굴과
양쪽에 반원으로 귀

얼굴 위에 머리와
뒷머리를 그려요.

웃는 모습의 눈, 코, 입

머리띠와 눈썹

사다리꼴 몸통과
그 옆에 양쪽 팔

상의 단추와 치마를 그리고

엄마의 핸드백과
다리를 그려요.

예쁘게 색칠하면
외출하는 엄마 완성!

과자를 만드는 엄마

설거지를 하는 엄마

⑧ 아빠 그리기

네모 얼굴과
양쪽에 반원으로 귀

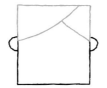

양쪽으로 가르마를 탄 머리

눈썹, 눈, 네모난 코와 입

넥타이를 그리고

사각형으로 몸통

양쪽 팔을 그려요.

아래로 다리를 쭉쭉~

색칠하면
회사에 가는 아빠 완성!

주말에 집에서 쉬는
아빠도 그려봐요!

멋진 옷을 입은 젊은 아빠

❾ 할머니 그리기

둥그런 얼굴과
양쪽에 반원으로 귀

얼굴 위에 파마머리

웃는 모습의 눈, 코, 입

얼굴에 주름을 그려요.

길쭉한 네모 두 개로
조끼를 그리고

치마와 발을 그려요.

양쪽 팔과 핸드백

예쁘게 색칠하면
외출하는 할머니 완성!

한복을 입은 할머니

강아지와 조깅하는 할머니

⑩ 할아버지 그리기

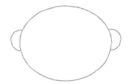

동그라미 얼굴과
양쪽에 반원으로 귀

안경, 코, 수염, 입

눈동자와 머리를 그리고

주름을 그려요.

할아버지 조끼

양팔과 다리

지팡이를 그려주고

예쁘게 색칠하면
할아버지 완성!

바둑을 두는
할아버지도 그려봐요!

멋지게 한복을 입은
할아버지

⑪ 언니, 오빠 그리기

둥그런 얼굴과
양쪽에 반원으로 귀

얼굴 위에 머리

눈, 코, 입

네모 두 개로
교복을 그려요.

조끼의 목 부분과 명찰

양쪽 팔

다리 두 개

색칠하면
중학생 오빠 완성!

둥그런 얼굴과
양쪽에 반원으로 귀

앞머리와 뒷머리

웃는 모습의 눈, 코, 입

사다리꼴로
몸통을 그려요.

상의의 단추와 명찰

양팔과 교복 치마

다리 두 개

색칠하면
중학생 언니 완성!

⑫ 아기 그리기

동그라미 얼굴과
양쪽에 반원으로 귀

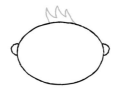

삐죽삐죽 머리

웃는 눈, 코, 입

사다리꼴로
몸통을 그려요.

아기 턱받이를 그리고

팔과 다리를 사방으로 쭉쭉~

우유병과 함께 예쁘게 색칠하면
웃는 아기 완성!

동그라미 얼굴

우는 표정의 눈, 코, 입

귀엽게 머리를 그리고

사각형과 반원으로
몸통을 그려요.

기저귀를 그리고

팔과 다리를 사방으로 쭉쭉~

넘어진 우유병과 함께
색칠하면 우는 아기 완성!

Part 2. 동물 그리기

❶ 왈왈~ 귀여운 강아지

비스듬한 네모로
얼굴 그리기

둥근 모양의
양쪽 귀 그리기

양쪽 눈의 얼룩을 그리고,
세모로 코를 그려요.

동그란 눈과 입을 그리고

가로로 긴 타원형으로 몸통을 그려요.

등에 얼룩과 뾰족한 꼬리~

네 개의 다리를 그려요.

예쁘게 색칠하면
개구쟁이 비글 강아지 완성!

동글동글 하얗고 귀여운
푸들도 그려보세요~

② 야옹~ 담벼락에 고양이

비스듬한 타원형으로
고양이 얼굴

뾰쪽한 세모를 두 개 겹쳐서
양쪽 귀를 그려요.

둥그런 두 눈과
눈동자

코와 입,
수염을 그리고

옆으로 둥글고 길게 몸통

네 개의 다리를 그려요.

S자로 꼬부러진 꼬리

색을 칠하고 얼룩을 그려주면
갈색 얼룩 고양이 완성!

다른 색과 무늬의
고양이도 그려보세요.

❸ 음매~ 풀밭 위에 젖소

사다리꼴을 뒤집은 모양으로
얼굴 형태 그리기

둥그런 타원으로
코부분을 그려요.

양쪽 귀와
뿔을 그려요.

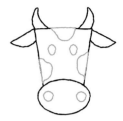

눈, 콧구멍,
얼룩을 그리고

만두 모양으로 몸통을 그리고
꼬리를 더해요.

젖소니까 젖과 얼룩!

네 개의 다리를 그려요.

예쁘게 색칠하면
젖소 완성!

맛있는 우유를 들고
즐거워하는 젖소도 그려봐요.

❹ 꿀꿀~ 먹보 돼지

둥그렇게 돼지의 이마

이어서 통통한 볼을 그려요.

뾰족한 세모 두 개로 귀를 그리고
동그라미로 두 눈을 그려요.

동그라미 세 개로
코를 그리고, 아래에 입

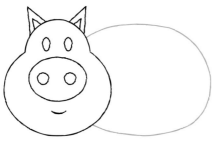

옆으로 넘어진 타원형으로 몸통

네 개의 다리와 꼬부랑 꼬리

예쁘게 색칠하면
꿀꿀 돼지 완성!

다양한 동작과
옷을 입은 돼지도 그려보세요.

⑤ 이랴! 바람을 가르며 달리는 말

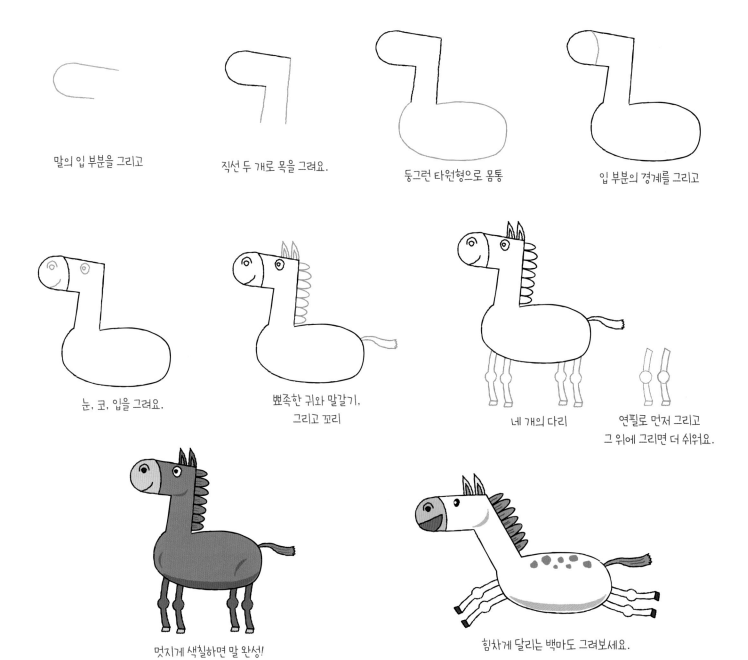

말의 입 부분을 그리고

직선 두 개로 목을 그려요.

둥그런 타원형으로 몸통

입 부분의 경계를 그리고

눈, 코, 입을 그려요.

뾰족한 귀와 말갈기,
그리고 꼬리

네 개의 다리

연필로 먼저 그리고
그 위에 그리면 더 쉬워요.

멋지게 색칠하면 말 완성!

힘차게 달리는 백마도 그려보세요.

❻ 귀여운 곰돌이

비스듬한 동그라미로
곰의 얼굴

동글동글 귀 두 개,
동글동글 눈 두 개

비스듬한 동그라미로
코와 입 주변을 그려요.

뒤집어진 세모로
코와 입

몸통과 배 부분

쭉쭉 양쪽 팔을 그려요.

반바지에 짧은 다리

예쁘게 색칠하면
반바지 입은 곰 완성!

회사에 출근하는 곰돌이

헐크로 변신한 화가 난 곰돌이

① 당근 주세요~ 깡총깡총 토끼

찐빵 모양으로
얼굴을 그려요.

길쭉 길쭉 귀 두 개

동그라미 세 개로 눈과 코를,
그 아래 입을 그려요.

물방울 모양으로
몸통을 그려요.

팔과 다리를 쭉쭉~

가슴 부분과
살짝 보이는 토끼 꼬리

귀엽게 색칠하면
토끼 완성!

당근을 좋아하는 토끼도 그려봐요.

점프하는 토끼

앉아서 웃는 회색 토끼

❽ 늑대다~ 늑대!

뽀족하게 늑대의
입 부분을 그리고

동그란 머리와 뽀족한 귀

세모로 귀, 코,
입과 이빨을 그려요.

수염과 눈썹,
그리고 눈을 그리고

세모로 귓구멍과 갈기를 그려요.

만두 모양으로 몸통과 가슴털

꼬리와 배 부분

다리 네 개를 그려요.

예쁘게 색칠하면 달리는 늑대 완성!

두발로 서서 만세를 부르는 늑대도 그려봐요.

❾ 코가 길~쭉한 코끼리

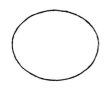

동그라미로 코끼리의 얼굴

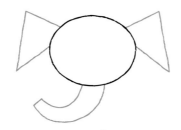

세모 두 개로 귀를 그리고
길쭉한 코도 그려요.

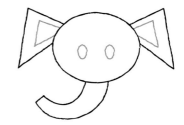

동그란 두 눈과
세모 두 개로 귓바퀴

길게 뻗은 상아와
코에 주름, 콧구멍을 그려요.

찐빵 모양의 몸통과 꼬리

네 개의 두꺼운 다리

예쁘게 색칠하면 코끼리 완성!

공 위에서 재주를 부리는 코끼리도 그려봐요.

⑩ 초원의 왕, 사자

주머니 모양으로 얼굴

숫사자의 멋진 갈기를 그려요.

반원 두 개를 겹쳐
양쪽 귀를 그리고

눈, 코, 입도 그려요.

양쪽으로 수염을 쭉쭉~

앞다리 두 개를 그려요.

뒷다리를 그리고

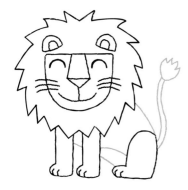

앞다리와 뒷다리 사이에 몸통과 꼬리

멋지게 색칠하면 '어흥~' 사자 완성!

갈기가 없는 암사자도 그려봐요.

⑪ 밀림의 왕, 호랑이

동그라미로 호랑이
얼굴을 그리고

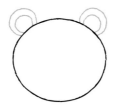

동그라미 두 개를 겹쳐서
귀도 그려요.

물방울 모양의 코와
동그라미로 입주변을 그려요.

동그라미로 눈,
그리고 입을 그리고

양 볼에 호랑이 무늬와
양쪽으로 수염을 쭉쭉~

엄지손가락 모양으로 몸통

등에도 호랑이 무늬와
배부분을 그리고

꼬리를 그려요.

네 개의 다리

예쁘게 색칠하면 호랑이 완성!

'호랑이 담배피우던 시절' 아시죠?
갓을 쓰고 곰방대를 문 호랑이도 그려봐요.

⑫ 목이 길~쭉한 기린

기울어진 사다리꼴에
동그라미를 붙여서 기린 얼굴

동글동글 눈,
콧구멍, 입을 그리고

뿔과 귀를 그려요.

주걱 모양으로
기린의 몸을 그리고

목 부분에 갈기와 꼬리

네 개의 다리를 쭉쭉~

몸에 기린의 얼룩과
배부분을 그리고

예쁘게 색칠하면
목이 길~쭉한 기린 완성!

얼굴의 각도만 달리해서
나뭇잎을 먹는 기린도 그려봐요.

⑬ 꼬끼오 수탉, 삐약 삐약 병아리

기울어진 반달 모양으로
수탉의 몸을 그리고

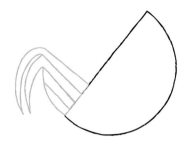

수탉의
긴 꼬리를 그려요.

닭 볏을 그려주고

옆구리 부분에 날개

동그라미로 눈, 세모 두 개로 부리,
다리를 그리고

예쁘게 색칠하면 수탉 완성!

뒤집은 헬맷 모양으로
병아리의 몸

날개와 다리

동그라미 눈과 세모 부리

노란색으로 색칠하면
삐약삐약 병아리 완성!

⑭ 개굴 개굴 개구리

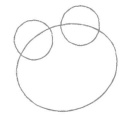

연필을 이용해 동그라미 세 개로
개구리 얼굴을 그려요.

윤곽을 따라 그리면
개구리 얼굴

동그라미로 눈과 콧구멍

반달 모양의 입

앞다리 두 개 쭉쭉~

그 뒤로 몸과 뒷다리를 그려요.

예쁘게 색칠하면 개구리 완성!

동그라미에 올챙이 얼굴

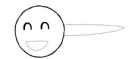

올챙이 입과 몸통

지느러미를 그려주고

색칠해서 올챙이 완성!

⑮ 깊은 바닷속의 물고기

옆으로 누운 세모로
물고기 머리

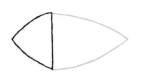

길쭉한 세모로
몸통

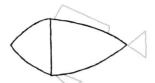

지느러미와 꼬리를 그리고

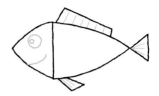

눈과 입,
지느러미 주름을 그려요.

예쁘게 색칠해서 물고기 완성!

동그라미로 복어 몸통

눈, 입, 배 부분을 그리고

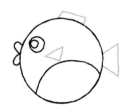

지느러미와 꼬리

복어 배의 가시와
지느러미 주름

색칠해서 복어 완성!

세모로 갈치 머리

길쭉하게 몸을 그려요.

눈, 입과 지느러미를 그리고

색칠하면 갈치 완성!

⑯ 바다의 왕, 고래와 상어

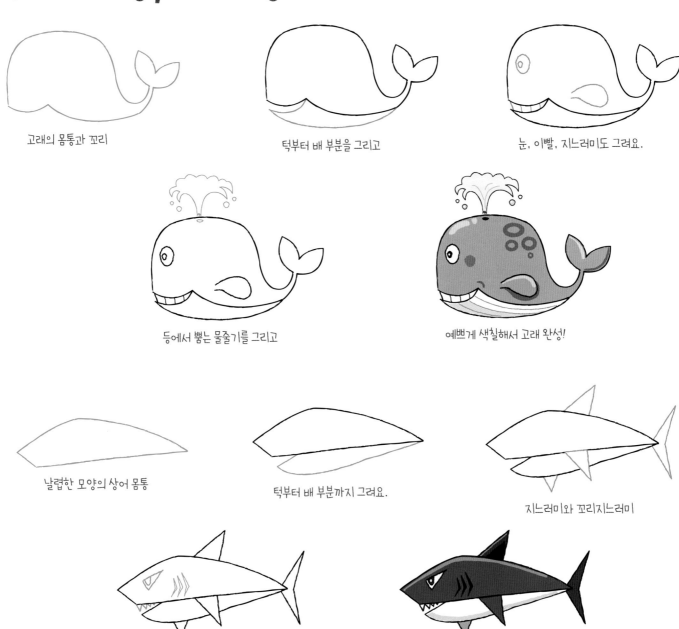

고래의 몸통과 꼬리

턱부터 배 부분을 그리고

눈, 이빨, 지느러미도 그려요.

등에서 뿜는 물줄기를 그리고

예쁘게 색칠해서 고래 완성!

날렵한 모양의 상어 몸통

턱부터 배 부분까지 그려요.

지느러미와 꼬리지느러미

눈, 이빨, 아가미를 그리고

색칠해서 사나운 상어 완성!

⑰ 꽃밭의 잠자리와 나비

동그라미 세 개로 눈과 얼굴

눈동자와 입

배를 그리고

꼬리를 길게 그려요.

날개를 양쪽으로 쭉쭉~

색칠해서 잠자리 완성!

동그라미 세 개로
눈과 얼굴

눈동자와 입

더듬이를 그려요.

가슴과 배

다리를 그리고

날개를 그려요.

예쁘게 색칠하면 나비 완성!

옆모습도 그려봐요!

Part 3. 탈것 그리기

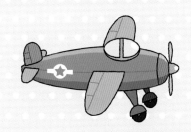

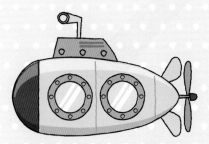

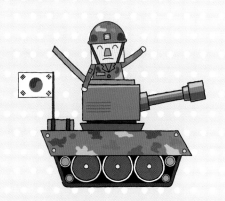

❶ 삐뽀 삐뽀~ 구급차

길쭉한 네모로 범퍼를 그려요.

네모 두 개로 구급차의 앞부분

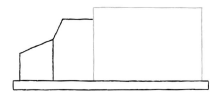

큰 네모로
환자를 태우는 부분을 그리고

네모로 창문과 라이트

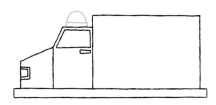

운전석 위에 경광등을 그리고

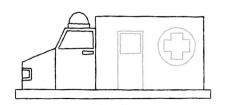

뒷부분에 문과 병원 마크를 그려요.

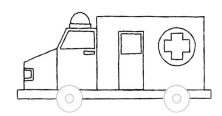

앞바퀴와 뒷바퀴를 동그라미로 그리고

흰색과 빨간색으로 색칠하면
구급차 완성!

② 불이야! 소방차

오각형에 긴 네모를 붙여서
소방차의 차체를 그려요.

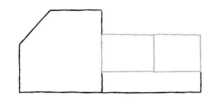

네모 두 개로 물탱크

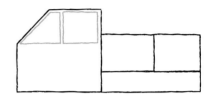

세모, 네모로 창문을 그리고

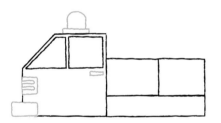

앞범퍼와 경광등,
라이트와 문 손잡이도 그려요.

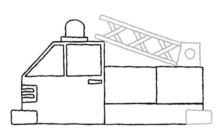

뒷범퍼와 엑스자 모양의 사다리

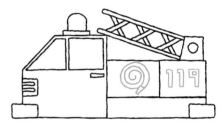

소방호스와 119 표시

앞바퀴와 뒷바퀴를 그리고

빨간색으로 색칠하면
소방차 완성!

❸ 자전거와 오토바이

세모 두 개로 자전거 몸체

핸들과 기둥을 그리고

손잡이와 의자도 그려요.

패달 부분을 그리고

앞바퀴와 뒷바퀴는
둥글게 둥글게~

색칠하면
예쁜 자전거 완성!

앞 부분을 그리고

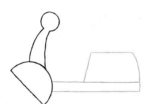

앉는 부분과
이어지게 그려요.

핸들과 의자를 그리고

라이트, 앞유리,
브레이크등도 그려요.

앞바퀴와 뒷바퀴를
둥글게 둥글게~

색칠하면
예쁜 오토바이 완성!

❹ 도시를 달리는 2층버스

둥그런 모양의 2층 부분

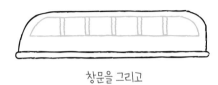

창문을 그리고

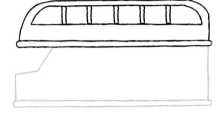

1층 부분을 그려요.

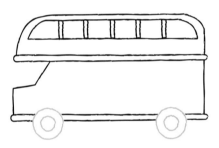

동그라미로 앞바퀴와
뒷바퀴를 그리고

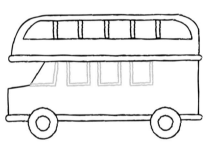

1층 창문을 그려요.

둥근 라이트와
네모난 출입구를 그려요.

색칠을 하고 버스의 번호를
써주면 2층버스 완성!

일반 버스도 그려봐요!

⑤ 칙칙폭폭~ 기차

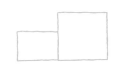

네모 두 개로 기차의 앞부분

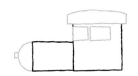

네모난 지붕과 창문,
동그란 앞부분

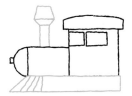

굴뚝과 아랫부분도 그리고

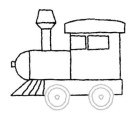

동그라미로 바퀴를 그려요.

두 번째 칸을 그리고

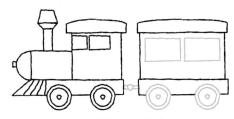

앞부분과 이어준 후
네모난 창문과 동그라미 바퀴

세 번째 칸도 그려봐요.

앞부분과 이어주고
난간과 바퀴도 그려요.

예쁘게 색칠하고 굴뚝에서 나오는
연기까지 그리면 기차 완성!

⑥ 떴다 떴다 비행기

올챙이 모양으로
비행기의 몸통을 그리고

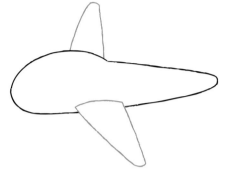

길쭉하게 양쪽 날개를 그려요.

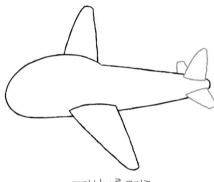

꼬리 날개를 그리고

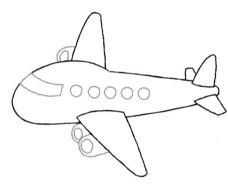

비행기의 창문과 엔진도 그려요.

예쁘게 색칠하면
비행기 완성!

프로펠러가 달린
비행기도 그려봐요!

⑦ 우주로 가요! 로켓

네모난 로켓의 몸통

세모로 뽀족한
앞부분을 그리고

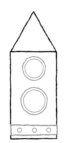

동그라미 창문과
장식도 그려요.

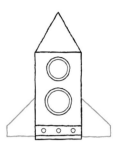

양쪽에 날개를 그리고

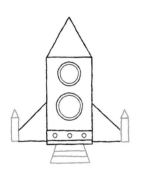

날개 옆 장식과 로켓분사구

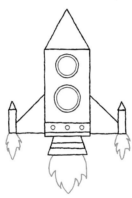

불꽃을 그리고

예쁘게 색칠하면 로켓 완성!

다른 모양의
로켓도 그려봐요!

⑧ 두두두두~ 헬리콥터

찐빵 모양의
헬리콥터 몸통

앞유리를
그리고

네모를 겹쳐서 창문도 그려요.

프로펠러
연결 부분도 그리고

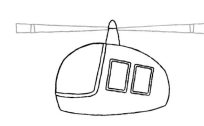

양쪽으로 쭉쭉~
프로펠러

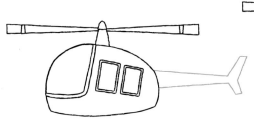

헬리콥터의 꼬리를 그리고

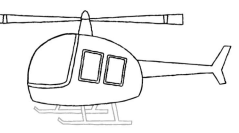

착륙 받침도 그려요.

멋지게 색칠하면
헬리콥터 완성!

프로펠러가 돌아가며
하늘을 나는 헬리콥터도 그려봐요.

⑨ 바닷속 탐험, 잠수함

아몬드 모양으로 잠수함의 몸통

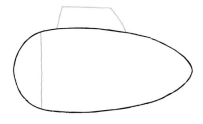

잠수함의 윗부분을 그려요.

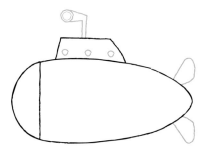

잠망경과 꼬리 부분을 그리고

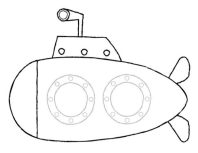

동그란 창문 두 개와

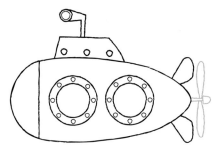

스크루를 그려요.

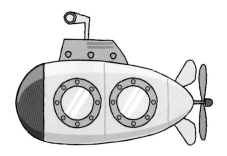

예쁘게 색칠하면 노란잠수함 완성!

잠수함과 어울리는 잠수부도 그려봐요!

네모난 탱크의 운전석

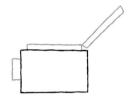

네모로 운전석의 뚜껑과
대포의 연결 부분

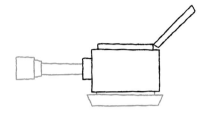

대포와 몸통의 연결 부분을 그려요.

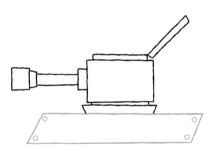

탱크의 몸통을 그리고

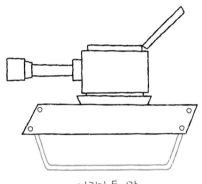

바퀴가 들어갈
무한궤도를 그려요.

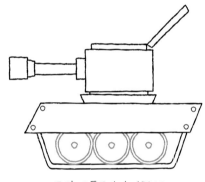

그 안에 동그라미 바퀴 세 개

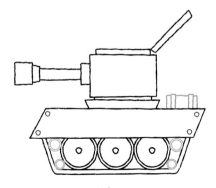

작은 바퀴와
연료통을 그려요.

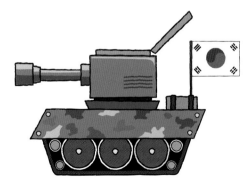

국방색과 얼룩무늬로 색칠하면
멋진 탱크 완성!

자랑스러운 대한민국
태극기도 그려봐요!

Part 4. 직업 그리기

1. 의사선생님
2. 경찰관
3. 발레리나
4. 소방관
5. 축구선수
6. 가수
7. 우주인
8. 요리사

❶ 의사선생님

동그란 얼굴과 머리

눈, 코, 입, 귀를 그려요.

머리에 반사경

아래로 길게 의사 가운

가운 사이로
넥타이와 상의를 그려요.

양쪽 팔을 쭉쭉~

바지를 입은 다리를 그리고

목에 청진기

예쁘게 색칠하면
남자 의사선생님 완성!

여자 의사선생님도 그려봐요!

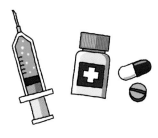

주사기, 약통, 알약

② 경찰관

뒤집어진 사다리꼴의
경찰 모자

모자의 챙과
둥그런 얼굴

동그라미와 세모로 경찰 마크

눈, 코, 입을 그려요.

넥타이를 그리고

네모난 몸통과 양쪽 주머니

양쪽 팔을 그려요.

네모로 허리띠

바지를 그려요.

마지막으로 신발

경찰 유니폼 색으로 색칠하면
멋진 경찰관 완성!

여자 경찰관도 그려봐요!

❸ 발레리나

동그라미로 머리

얼굴 위에 머리와
동그란 올림머리를 그려요.

머리 장식과
눈, 코, 입

날씬한 몸통을 그리고

발레리나의 치마

치마의 주름과 레이스

양팔을 옆으로 쭉쭉~

다리를 그려요.

예쁘게 색칠하면
발레리나 완성!

다른 포즈도
그려봐요!

❹ 소방관

동그란 얼굴에
소방관 헬맷 밑부분

헬맷을 그려요.

눈, 코, 입, 그리고 목 보호막

소방관의 몸통을 그리고

옷에 무늬를 그려요.

상의 아랫부분

양팔을 옆으로 쭉쭉~

다리를 그려요.

예쁘게 색칠하면
소방관 완성!
도끼와 소화기도 그려봐요.

⑤ 축구선수

기울어진 동그라미로 얼굴

삐죽삐죽 머리

동그란 눈, 코, 입, 귀를 그리고

네모로 몸통을 그려요.

양팔을 그리고

축구 반바지도 그려요.

다리와 신발을 그리고

양말과 축구공도 그려요.

예쁘게 색칠하면
축구선수 완성!

다른 선수도 그려봐요!

❻ 가수

동그라미로 얼굴

머리와 양쪽 귀

눈, 코, 입을 그리고

네모난 몸통을 그려요.

양팔과 뒷머리를 그리고

목부분 장식과 벨트도 그려요.

마이크를 그리고

치마도 그리고

양쪽 다리를 쭉쭉~

예쁘게 색칠하면
노래하는 가수 완성!

기타도 그려봐요!

❼ 우주인

동그라미 두 개를 겹쳐
헬멧의 윤곽

양쪽 귀부분을 그리고

몸통을 그려요.

양팔과 가슴에 계기판을 그리고

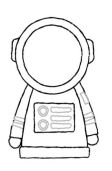

여러 가지 장식도 그려요.

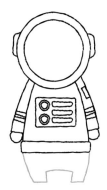

다리를 그리고

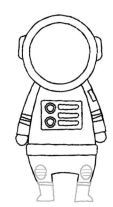

무릎보호대와 양쪽 발도 그려요.

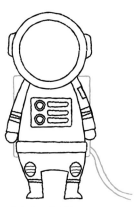

산소통과 호스를 그리고

멋지게 색칠하면 우주인 완성!

초록색 외계인도 그려봐요!

⑧ 요리사

네모로 요리사의 얼굴

머리와 양쪽 귀를 그리고

눈, 세모로 코, 입을 그려요.

요리사의 모자

목 부분과 단추를 그리고

네모로 몸과 양쪽 팔

네모난 앞치마를 그리고

양쪽 다리와 발을 그려요.

예쁘게 색칠하면 요리사 완성!
손에 후라이팬과 무를 그려봐요.

Part 5. 상상 속 친구들 그리기

1. 삐리 삐리삐~ 로봇
2. 불 뿜는 드래곤
3. 으스스~ 드라큘라
4. 동굴에 살아요, 원시인
5. 서커스의 삐에로
6. 바닷속의 인어공주
7. 캬오오~ 공룡

① 삐리 삐리삐~ 로봇

네모로 로봇의 머리

동그라미, 세모, 네모로
눈, 코, 입을 그리고

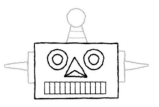

머리 위와 양 옆에
안테나를 그려요.

네모 두 개로 목과 몸통

가슴에 계기판과 버튼

양팔을 그리고

두 다리를 그려요.

예쁘게 색칠하면 로봇 완성!

다른 모양의 로봇도 그려봐요!

❷ 불 뿜는 드래곤

달걀 모양의 드래곤 얼굴

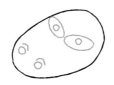

둥근 눈과 콧구멍

머리 위에 갈기와 뿔을 그려요.

킁킁! 코에서 나오는 연기

물방울 모양의 드래곤 몸통

배부분과 짧은 팔을 그리고

다리와 꼬리도 그린 다음

등 뒤에 날개를 그려요.

예쁘게 색칠하면 드래곤 완성!

불을 뿜는 드래곤도 그려봐요!

❸ 으스스~ 드라큘라

뒤집어진 사다리꼴로
드라큘라 얼굴

뾰족한 귀와 머리

눈, 코, 입과
뾰족한 이빨을 그리고

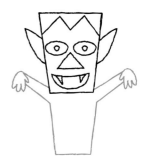

몸과 양팔을 그려요.

상의를 꾸며주고

다리를 그려요.

화려한 망토를 그리고

예쁘게 색칠하면 드라큘라 완성!

박쥐로 변신한 드라큘라도 그려봐요!

❹ 동굴에 살아요, 원시인

사다리꼴로 얼굴

뾰족뾰족한 머리

수염과 입을 그리고

눈과 눈썹, 코를 그려요.

둥그렇게 몸통

옷이 파인 부분과
젖꼭지를 그리고

양팔과 다리를 그려요.

색칠하면 남자원시인 완성!

둥그라미로 얼굴

뾰족뾰족 머리

눈, 코, 입

사각형 몸통

가슴 부분의 옷을 그리고

치마를 그려요.

팔과 다리

색칠하면 여자원시인 완성!

5 서커스의 삐에로

동그라미로 삐에로 얼굴

또 동그라미로 눈과 코

입과 곱슬머리를 그리고

삐에로의 모자를 그려요.

목 부분의 레이스

사다리꼴 몸통과

양쪽 팔을 그리고

다리와 발을 그려요.

화려하게 색칠하면 삐에로 완성!

묘기를 부리는 삐에로도 그려봐요!

❻ 바닷속의 인어공주

둥그런 얼굴

머리와 양쪽 귀를 그려요.

머리 장식과 눈, 코, 입

몸통과 양팔을 그리고

목걸이와
가슴에 조개껍데기

허리띠를 그려주고

꼬리의 형태를 그린 다음

지느러미도 그려요.

뒷쪽에 긴 머리카락을 그리고

예쁘게 색칠하면
인어공주 완성!

⑦ 캬오오~ 공룡

둥그렇게 공룡의 입부분

이어서 동그란 머리

눈을 그리고
턱과 입에 선을 그려요.

콧구멍과 뾰족뾰족 이빨

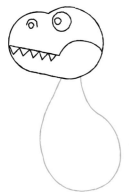

자루 모양의 몸통을 그리고

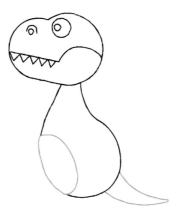

배 부분과 꼬리를 그려요.

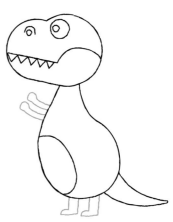

짧은 팔과 다리

머리부터 꼬리까지 뾰족한 가시를 그린 다음

예쁘게 색칠하면 공룡 완성!

티셔츠를 입은 앞모습도 그려봐요!

Part 6. 식물 그리기

❶ 상큼한 과일

동글동글 포도알 네 개

아래에 주렁주렁 포도알

꼭지를 그리고

예쁘게 색칠해요.

세모로 수박 모양

수박 껍질을 그리고

수박씨도 그려요.

예쁘게 색칠해요.

파인애플 형태

파인애플 꼭지를 그리고

빗금을 그어 무늬를 넣어요.

예쁘게 색칠해요.

동그란 오렌지

꼭지를 그리고

꼭지에 이파리

예쁘게 색칠해요.

❷ 몸에 좋은 채소

뾰족하게 옥수수 모양

옥수수 껍질

옥수수알갱이를 표현하고

예쁘게 색칠해요.

구름 모양의 브로콜리

줄기를 그리고

여기 저기 주름

예쁘게 색칠해요.

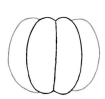
엉덩이 모양으로 호박

양쪽에 뽈록 뽈록

호박 꼭지

예쁘게 색칠해요.

몽둥이 모양의 가지

꼭지 부분을 그리고

꼭지도 그려요.

예쁘게 색칠해요.

❸ 노랗고 예쁜 해바라기

동그라미 해바라기

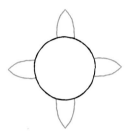

사방에 꽃잎 하나씩

사이사이 꽃잎을 채워 그려요.

해바라기씨 부분은 빗금 무늬

줄기를 그리고

잎사귀도 그려요.

예쁘게 색칠해서 해바라기 완성!

다양한 표정의
해바라기를 그려봐요!

④ 사랑의 꽃, 장미

  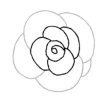 

동그르르 꽃잎 시작

동글 동글 계속 크게 크게~

잎사귀를 그려요.

잎사귀를 더 그리고

빨간색으로 색칠해서 장미 완성!
줄기가 있는 장미도 그려봐요.
줄기에 가시도 잊지 마세요!

이번에는 다른 모양의
장미를 그려봐요.

바깥에서 안쪽으로
꽃잎을 채워요.

다 채우면 잎을 그려요.

잎을 두 개 더 그리고

예쁘게 색칠해서 핑크 장미 완성!

⑤ 사막에 사는 선인장

야구방망이 모양으로
선인장 몸통

줄기를 그리고

화분을 그려요.

선인장의 주름을 주욱 주욱~

뾰족뾰족
가시를 그려요.

맨 꼭대기에
예쁜 꽃

색칠하면 선인장 완성!

동글동글
선인장의 윤곽

위에 몇 개 더 그리고

화분을 그려요.

뾰족한 가시를 그리고

꽃도 그려요.

예쁘게 색칠해서 완성!

⑥ 푸른 숲을 만드는 나무

나무의 뼈대를 그리고

동그라미로
나무의 윤곽을 그려요.

그 안에 과일과
나뭇잎을 그리고

예쁘게 색칠하면
과일나무 완성!

먼저 연필로 나무의
뼈대를 그리고

그 위에 펜으로
뼈대를 그려요.

나무를 몽글몽글

예쁘게 색칠하면
나무 완성!

먼저 연필로 세모를 겹쳐서
소나무의 윤곽을 그리고

그 위에 삐죽삐죽
소나무 모양을 그려요.

나무의 몸통

예쁘게 색칠하면
소나무 완성!

Part 7. 음식과 소품 그리기

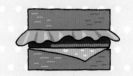

1. 달콤한 디저트
2. 맛있는 햄버거 가게
3. 즐거운 소풍
4. 생일 축하합니다!
5. 즐거운 우리반 교실
6. 신나는 놀이터
7. 깨끗하게 씻어요, 욕실

① 달콤한 디저트

컵케익 꼭대기에
체리를 그려요.

그 아래에 컵케익

컵케익의 포장지를 그리고

예쁘게 색칠하면 컵케익 완성!

꼬불꼬불 아이스크림

그 아래 이어서 그려요.

밑에 콘을 그리고

예쁘게 색칠하면
아이스크림 완성!

동그라미로 사탕 부분

돌돌 말린 사탕

막대를 그리고

예쁘게 색칠하면 막대사탕 완성!

콩알 모양의 사탕

양쪽 끝에 꼭지를 그리고

줄무늬를 그려요.

예쁘게 색칠하면 사탕 완성!

❷ 맛있는 햄버거 가게

윗부분의 빵과 양상추

고기와 치즈를 그리고

토마토와 빵을 그려요.

예쁘게 색칠하면 햄버거 완성!

감자튀김을
담아주는 용기

이어서 입체적으로 그리고

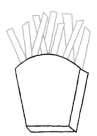

감자튀김을 그려요.

예쁘게 색칠하면
감자튀김 완성!

한쪽에 빵

소세지와 소스

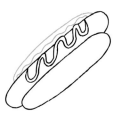

상추와 반대쪽 빵을 그리고

예쁘게 색칠하면 핫도그 완성!

음료수 뚜껑

컵을 그리고

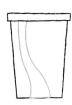

컵에 무늬를 넣어요.

빨대를 그린 후

예쁘게 색칠하면 음료수 완성!

❸ 즐거운 소풍

바구니 뚜껑과 넵킨

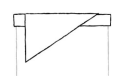

바구니의 전체를 그리고

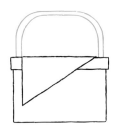

손잡이를 그려요.

예쁘게 색칠하면
소풍 바구니 완성!

동그라미로
원통을 그려요.

그 안에 김밥 재료

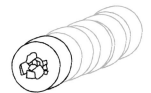

여러 개를 뒤로 이어 그리고

예쁘게 색칠하면
김밥 완성!

가장 위에 빵

상추와 햄을 그려요.

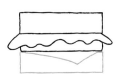

치즈와 아래 빵

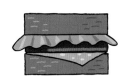

예쁘게 색칠하면
샌드위치 완성!

귀여운 물병 모양

위에 구멍과 병 안에 음료

손잡이를 그리고

예쁘게 색칠하면
레모네이드 완성!

④ 생일 축하합니다!

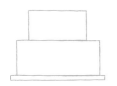

네모 세 개로 케익의 윤곽

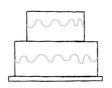

흘러내리는 크림

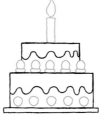

초와 과일 장식을 그려요.

예쁘게 색칠하면
생일케익 완성!

네모 두 개

리본으로 감싸고

상자 위에 리본을 그려요.

예쁘게 색칠하면
선물상자 완성!

세모 한 개

그 위에 별

비스듬하게 선을 그려요.

예쁘게 색칠하면
꼬깔모자 완성!

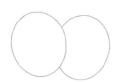

동그라미 두 개

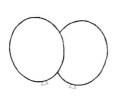

풍선의 꼭지

실을 길게 그리고

예쁘게 색칠하면
풍선 완성!

⑤ 즐거운 우리반 교실

연필의 몸통

맨 위에 지우개

꼭지와 연필심을 그려요.

예쁘게 색칠하면 연필 완성!

둥그런 모양의 가방

주머니와 장식

수첩과 가방끈을 그리고

예쁘게 색칠하면 가방 완성!

사다리꼴 한 개

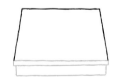

이어서 네모 두 개

책과 다리를 그리고

예쁘게 색칠하면 책상 완성!

네모 안에 또 네모

긴 네모와 칠판 지우개

예쁘게 색칠하면 칠판 완성!

❻ 신나는 놀이터

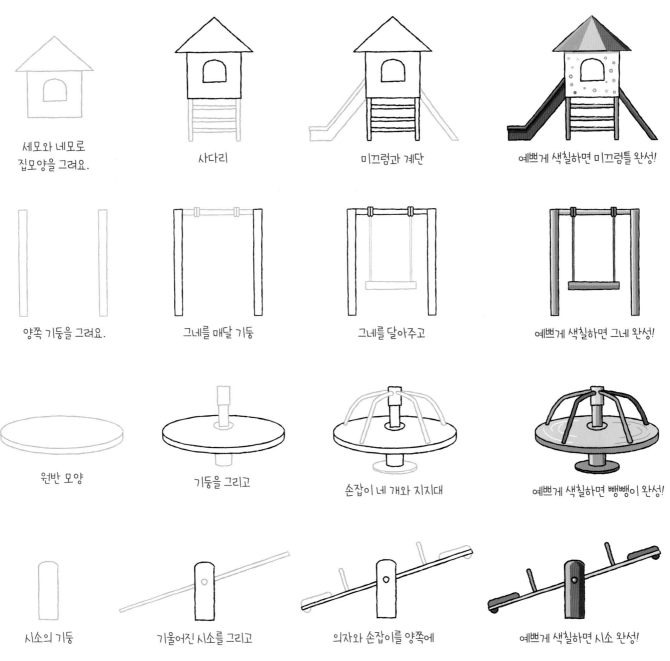

세모와 네모로
집모양을 그려요.

사다리

미끄럼과 계단

예쁘게 색칠하면 미끄럼틀 완성!

양쪽 기둥을 그려요.

그네를 매달 기둥

그네를 달아주고

예쁘게 색칠하면 그네 완성!

원반 모양

기둥을 그리고

손잡이 네 개와 지지대

예쁘게 색칠하면 뱅뱅이 완성!

시소의 기둥

기울어진 시소를 그리고

의자와 손잡이를 양쪽에

예쁘게 색칠하면 시소 완성!

❶ 깨끗하게 씻어요, 욕실

둥그런 바가지 모양

안쪽에 움푹,
위에 네모와 다리를 그려요.

수도꼭지와 손잡이

예쁘게 색칠하면 세면대 완성!

네모를 그려요.

양쪽으로 수건걸이

수건의 뒷면

예쁘게 색칠하면 수건걸이 완성!

넓은 국그릇 모양

아래 짧은 다리와 위에는 거품

예쁘게 색칠하면 욕조 완성!

치약을 그려봐요!

칫솔도 그려봐요!

그림에 자신 없는 부모님을 위한

그림에 자신 없는 부모님을 위한

엄마, 그림 그려주세요!

글·그림 **김형진**

워크북

앤제이
BOOKS

그리기 워크북은
본책에서 그림 그리는 방법을 익힌 후
따로 종이를 준비하지 않고도 직접 그려볼 수 있도록
마련한 별책부록이에요.
간단하게 보여주는 그리기 순서를 참고하고
흐리게 그려진 밑그림 위에 연습해봐요!

❶ 표정 그리기

❷ 머리 모양 그리기

❸ 동작 그리기

⑪ 옆모습 그리기

⑤ 남자아이 그리기

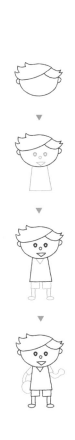

다른 남자아이도 그려봐요.

❻ 여자아이 그리기

다른 여자아이도 그려봐요.

① 엄마 그리기

요리하는 엄마와
설거지하는 엄마도 그려봐요.

⑧ 아빠 그리기

휴일날 아빠, 멋쟁이 아빠도
그려봐요.

❾ 할머니 그리기

한복 입은 할머니와
운동하는 할머니도 그려봐요.

⑩ 할아버지 그리기

바둑 두는 할아버지,
한복 입은 할아버지도 그려봐요.

⑪ 언니, 오빠 그리기

⑫ 아기 그리기

❶ 왈왈~ 귀여운 강아지

하얀 솜뭉치같은 푸들도 그려봐요.

❷ 야옹~ 담벼락에 고양이

무늬가 다른
고양이도 그려봐요.

❸ 음매~ 풀밭 위에 젖소

우유 마시는 젖소도 그려봐요!

❹ 꿀꿀~ 먹보 돼지

다른 모양의 돼지들도
그려봐요!

⑤ 이랴! 바람을 가르며 달리는 말

힘차게 달리는 말도 그려봐요!

❻ 귀여운 곰돌이

회사에 가는 곰, 화가 난 곰도 그려봐요!

① 당근 주세요~ 깡총깡총 토끼

당근을 들고 있는 토끼,
점프하는 토끼,
회색토끼도 그려봐요!

⑧ 늑대다~ 늑대!

두 발로 서있는
늑대도 그려봐요!

❾ 코가 길~쭉한 코끼리

서커스 하는 코끼리도 그려봐요!

⑩ 초원의 왕, 사자

귀여운 암사자도 그려봐요!

⑪ 밀림의 왕, 호랑이

옛날옛적
담배피우는 호랑이도 그려봐요!

⑫ 목이 길~쭉한 기린

나뭇잎을 먹는
기린도 그려봐요!

⑬ 꼬끼오 수탉, 삐약 삐약 병아리

노란 병아리도 그려봐요!

⑭ 개굴 개굴 개구리

 ▶ ▶ ▶

꼬물꼬물 올챙이도 그려봐요!

⑮ 깊은 바닷속의 물고기

⑯ 바다의 왕, 고래와 상어

⑰ 꽃밭의 잠자리와 나비

① 삐뽀 삐뽀~ 구급차

② 불이야! 소방차

❸ 자전거와 오토바이

❹ 도시를 달리는 2층버스

일반버스도 그려봐요!

⑤ 칙칙폭폭~ 기차

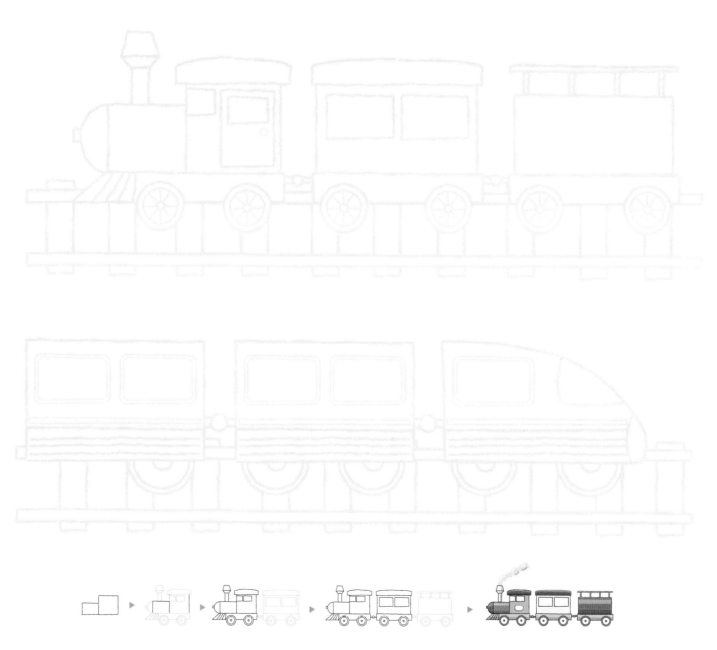

⑥ 떴다 떴다 비행기

다르게 생긴
비행기도 그려봐요!

① 우주로 가요! 로켓

다른 모양의
로켓도 그려봐요!

⑧ 두두두두~ 헬리콥터

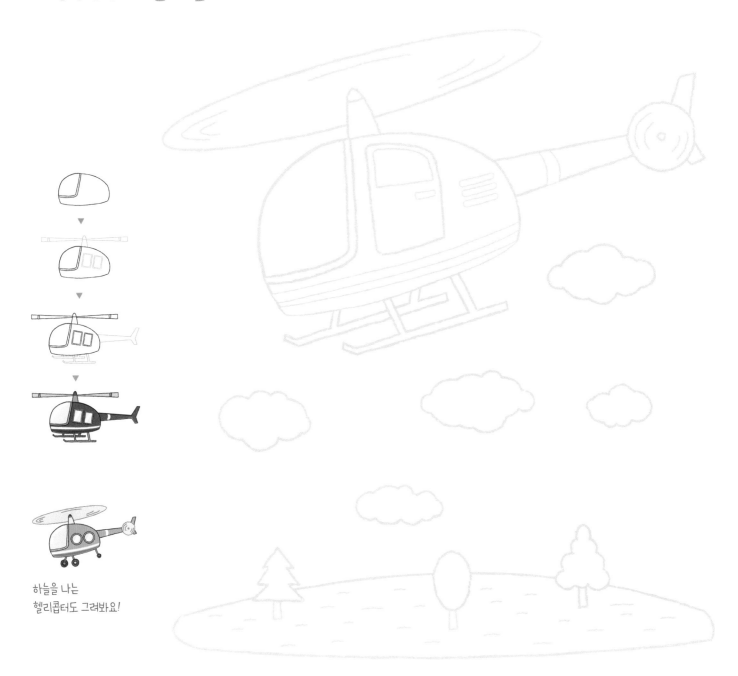

하늘을 나는
헬리콥터도 그려봐요!

⑨ 바닷속 탐험, 잠수함

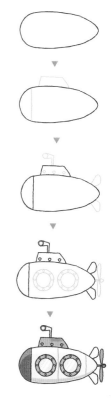

잠수부도 그려봐요!

⑩ 대한민국을 지키는, 탱크

❶ 의사선생님

여자 의사선생님도
그려봐요!

❷ 경찰관

여자 경찰관도
그려봐요!

③ 발레리나

다른 동작의
발레리나도 그려봐요!

④ 소방관

⑤ 축구선수

다른 팀의 축구선수도
그려봐요!

⑥ 가수

기타도 그려봐요!

① 우주인

초록색 외계인도
그려봐요!

❽ 요리사

요리사의 손에
후라이팬과
무도 그려요!

❶ 삐리 삐리삐~ 로봇

다른 모습의 로봇도 그려봐요!

❷ 불 뿜는 드래곤

불을 뿜는 용도
그려봐요!

❸ 으스스~ 드라쿨라

 ▶ ▶ ▶  ▶

박쥐로 변신한
드라쿨라도 그려봐요!

⑭ 동굴에 살아요, 원시인

여자, 남자
원시인을 그려봐요!

① 삐리 삐리삐~ 로봇

다른 모습의 로봇도 그려봐요!

❷ 불 뿜는 드래곤

불을 뿜는 용도
그려봐요!

❸ 으스스~ 드라큘라

 ▶ ▶ ▶  ▶

박쥐로 변신한
드라큘라도 그려봐요!

⑭ 동굴에 살아요, 원시인

 ▶ ▶ ▶   ▶ ▶ ▶ 여자, 남자
원시인을 그려봐요!

⑤ 서커스의 삐에로

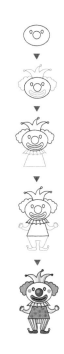

저글링을 하는
삐에로도 그려봐요!

❻ 바닷속의 인어공주

❶ 캬오오~ 공룡

공룡의 앞모습도
그려봐요!

① 상큼한 과일

색깔을
참고해요!

❷ 몸에 좋은 채소

색깔을
참고해요!

❸ 노랗고 예쁜 해바라기

해바라기가
모여 있는 모습도 그려봐요!

⑭ 사랑의 꽃, 장미

두 가지 종류의
장미를 그려봐요!

❺ 사막에 사는 선인장

다르게 생긴
선인장도 그려봐요!

❻ 푸른 숲을 만드는 나무

색깔을
참고해요!

❶ 달콤한 디저트

색깔을 참고해요!

② 맛있는 햄버거 가게

색깔을
참고해요!

❸ 즐거운 소풍

색깔을 참고해요!

❹ 생일 축하합니다!

색깔을
참고해요!

⑤ 즐거운 우리반 교실

Can you speak English?

Yes, I can.

색깔을
참고해요!

⑥ 신나는 놀이터

색깔을
참고해요!

① 깨끗하게 씻어요, 욕실

색깔을
참고해요!

그림에 자신 없는 부모님을 위한

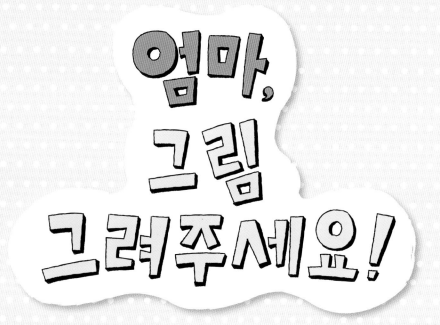

엄마,
그림
그려주세요!